# L'arbre aux ballons

Écrit et illustré par

## Phoebe Gilman

Texte français de Christiane Duchesne

**Éditions Scholastic**

Catalogage avant publication de la Bibliothèque nationale du Canada

Gilman, Phoebe, 1940-2002.
[Balloon tree.  Français]
L'arbre aux ballons / Phoebe Gilman ;
texte français de Christiane Duchesne.

Publ. à l'origine 1985.
Traduction de: The balloon tree.
ISBN 0-439-96189-0

I. Duchesne, Christiane, 1949-  II. Titre.
PS8563.I54B3414 2004          jC813'.54          C2004-902538-4

Édition publiée par les Éditions Scholastic, 175 Hillmount Road,
Markham (Ontario)  L6C 1Z7  CANADA.

654321          Imprimé au Canada          04 05 06 07 08

*Pour mes trois princesses,*
*Ingrid*
*Melissa*
*et*
*Alexis*

Il y a de cela fort longtemps, de l'autre côté d'un vaste océan, vivait heureux le peuple d'un tout petit royaume. Y vivait aussi la princesse Héloïse avec le roi son père, dans un immense château perché au sommet de la plus haute colline.

La princesse Héloïse aimait beaucoup jouer; elle aimait aussi chanter et danser, mais plus que tout, elle aimait les ballons. Le château en était plein.

Un jour, arrivèrent des messagers porteurs d'une invitation pour le roi.

Sa Majesté,
le Roi de Nougatine,
a l'honneur d'inviter
votre Majesté, ainsi que
ses plus braves chevaliers,
à son grand tournoi royal.

«Puis-je vous accompagner?» demanda la princesse Héloïse.

«Pas cette fois-ci, je le regrette, répondit son père. Mais je ne serai pas parti longtemps. Ton oncle veillera sur le royaume et je te demande de l'aider.»

«Pas l'archiduc! s'écria la princesse. Je le déteste.
C'est un vieux grognon qui ne veut jamais jouer. Et si ça
ne tourne pas rond, qu'est-ce que je ferai?»

«Ne t'inquiète pas, dit le roi. Tu pourras toujours me rejoindre. Tu n'auras qu'à prendre une grappe de ballons et à les laisser s'envoler du haut de la tour. Où que je sois, je pourrai les voir et j'accourrai.» Il embrassa sa fille et prit la route.

Sitôt le roi parti, l'archiduc entra en coup de vent, suivi des gardes les plus mesquins du royaume. «Enfin, voici la chance que j'attendais depuis si longtemps. Le roi, c'est *moi* maintenant! Gardes! Qu'on enferme la princesse dans ses appartements et qu'on détruise tous ses horribles ballons. Tous les ballons du royaume!»

*Pop! Pif! Pouf!* La princesse Héloïse pouvait entendre le bruit des ballons qu'on faisait éclater partout à travers le pays. Comment allait-elle avertir son père si elle n'avait plus de ballons?

Ce que l'archiduc ignorait, c'est qu'un passage secret reliait la chambre de la princesse à celle de son ami le magicien. Elle se glissa rapidement par une petite ouverture dissimulée derrière un rideau . . .

et pénétra dans un escalier obscur qui descendait en spirale dans les murs du château. Elle arriva enfin à la chambre du magicien.

«Il faut que vous m'aidiez», chuchota la princesse. Et elle expliqua en quelques mots ce que le diable d'archiduc venait de faire.

«Il n'y a qu'une solution, dit le magicien. Tu dois mettre la main sur un ballon intact. Avant le prochain lever du soleil, tu devras l'avoir planté au pied de l'arbre qui pousse dans la cour du château en prononçant ces paroles magiques:

*Ballon de jour,*
*Ballon de nuit,*
*Cent ballons,*
*Mille ballons,*
*Ont fleuri. »*

Le soleil se couchait lorsque la princesse se glissa entre les grilles du château pour commencer ses recherches.

Elle alla voir d'abord
le plus riche seigneur
de la ville, mais tous
ses ballons avaient
été crevés.

Elle demanda au
boucher,

puis au boulanger,

puis au vieux
fabricant de jouets.
Personne n'avait de
ballons.

Elle fouilla dans de
sombres ruelles.

Elle chercha sur la
place du marché
déserte et frappa à
toutes les portes.

L'aube allait paraître
et la pauvre princesse
avait épuisé toutes
ses ressources.

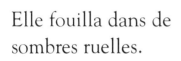

Toute triste, elle s'assit à côté d'une chaumière.
Le petit garçon qui vivait là l'entendit et vint à la
fenêtre. «Princesse Héloïse! Que faites-vous dans le
noir?» demanda-t-il.

Lorsque la princesse eut expliqué pourquoi
elle devait trouver un ballon avant l'aube, le petit
garçon la regarda étrangement.

«Moi, je peux vous aider», dit-il. Il courut
dans la maison et revint avec un ballon.

«Lorsque j'ai entendu les ballons éclater
partout, j'ai caché le dernier qui me restait dans
mon armoire. Je voulais le garder mais vous en
avez encore plus besoin que moi.»

La princesse remercia le petit garçon, traversa la place du marché déserte, passa en courant devant la boutique du boucher, du boulanger et du vieux fabricant de jouets, devant la maison du riche seigneur et retraversa les grilles du château.

La lune pâlissait lorsqu'elle arriva devant l'arbre planté dans la cour. Elle s'agenouilla juste à côté, creusa un trou et y planta le ballon. Puis elle prononça la formule magique :

«Ballon de jour,
Ballon de nuit,
Cent ballons,
Mille ballons,
Ont fleuri. »

Tout à coup, l'arbre frissonna. De minuscules ballons fleurissaient sur ses branches et poussaient, de plus en plus gros, de plus en plus ronds. La princesse Héloïse essaya d'en attraper un et des centaines de ballons descendirent vers elle en flottant légèrement.

Il y en eut tant et tant qu'ils emplirent toute la cour. Et lorsque le soleil se leva, ils volèrent par-dessus les murs.

Les gens se penchaient aux fenêtres et descendaient dans la rue, criant et riant, montrant du doigt les ballons.

«Crevez ces ballons!» cria l'archiduc à ses hommes. Malgré leurs efforts, les ballons magiques volaient toujours. En peu de temps, la ville entière était envahie par les ballons.

Tous les marchands durent fermer leurs portes.

Les poulets durent quitter leurs cages.

Toutes les voitures s'arrêtèrent.

Les travailleurs se mirent à jouer.

On ferma les écoles.

Il y avait des ballons partout.

L'archiduc trépignait de rage en voyant ses
gardes impuissants. Il courut vers l'arbre avec sa
lance mais tout à coup un ballon apparut à la
pointe et l'archiduc tomba à la renverse. Puis
des ballons apparurent à la pointe de toutes les
lances. Plus enragé que jamais, l'archiduc se mit
à courir derrière la princesse en criant: «Je
t'aurai bien un jour!»

Très loin de là, le roi traversait une forêt dense lorsqu'il vit un ballon accroché à la branche d'un arbre. «Qu'est-ce qu'un ballon peut bien faire là?» se dit-il. Mais lorsqu'il arriva à la lisière de la forêt, il vit quelque chose de plus étrange encore.

Son royaume entier était rempli de ballons, de milliers, de millions, de milliards de ballons!

«Hëloise! cria le roi. Elle doit courir un terrible danger!
Vite, au château!»

Le roi arriva dans la cour et vit l'archiduc qui criait à la princesse: «C'est toi qui as tout gâché! Ce n'est pas juste! C'est *moi* qui voulais être roi!»

«Ma fille avait mille fois raison. Tu es un traître! rugit le roi. Chevaliers! Enfermez l'archiduc et ses hommes là où ils méritent d'être, dans le donjon.»

Le roi invita ensuite tous ses sujets à la plus grande
fête qu'on avait jamais vue. Tout le monde s'amusa, dansa et
chanta. La princesse Héloïse ouvrit le grand coffre royal et
offrit un présent à chacun.